휘이잉
…….
벌써 겨울이네….
휘이이잉
부르르
앗 추워
휘이잉

2학기도
얼마 남지
않았어….

겨울 방학이
지나면

고등학교
1학년이
끝난다.

아무 일도 없는
매일.

평온한
매일.

하지만

이대로
괜찮을까…?

혹시…
얼굴?
으—음…

…….

표정 근육 ….
쭈욱~

이야약!!!
철푸덕
?!!
……!!!!
(말이 안 나옴)
놀라서 넘어졌다
아~….

미안,
미안.
뭐 하는지
궁금해서….

2반
히카와
맞지?
아….
어떻게
알지…?
눈에
띄니까
알거든~.
독심술???

미나토,
무슨
일이야~?
비명 소리가
나던데
빼꼼
오,
요우타.
어?!
뭐야!
너 여자애
괴롭히고
있어?
이 몹쓸
녀석--!!
아니
거든.

아.
고마워.
스윽
… 우와.
머쓱
괜찮아?
일어날 수 있어?
자

'크다'고 생각하고 있네.
우――뚝
크다!!!

히카와는
쌀쌀맞은
인상이었는데

재미있는 표정도
곧잘 짓네.

또 보자.

꾸벅

(따라서)
꾸벅

…….

…….
음
?

'눈에 띄어'?
뭔가 이런저런 얘길 들은 것 같은…
'쌀쌀맞은 인상'?

……
으음…
다른 반 애들까지 그렇게 생각하고 있다니….
심각하네.

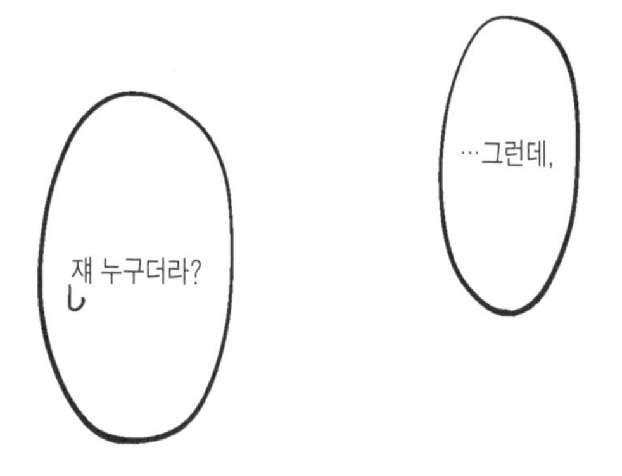
…그런데,
쟤 누구더라?

제2화 | 아즈미 미키

아~ 진짜 예쁘다~.
아즈미 미키.
천사 냐고.
5반 여신 이야.

그러지 말고 말 걸어 봐.
어림도 없어.

늘 주위에 여자애들이 있거든.
여자애들도 예쁜 애 주변에 모이더라….
왜지?
철벽이냐고
저기에 낄 수 있는 남자라곤…
그래.
저 정도 급은 되어야지….

우리는 저 '벽'을 무너뜨릴 수 없어….

불쑥
얘들아.
!!!!

애들이랑 잠깐 얘기 했는데,
기말고사 마지막 날 학교 끝나고 남아서 과자 파티 하지 않을래?
시험 뒤풀이 겸 크리스마스 파티로
스즈키랑 사토도 같이 하자.

SUZUKI
SATO
멍-

…미안.
그날 동아리가 있어서….
나도….
진짜?

…
…

그렇구나~ 아쉽네.
!!!
아, 아니다. 잠깐 있다 가지, 뭐!
나, 나도!
앗, 그래?

고마워~!
완전 기대된다!
반짝 반짝
번쩌억…
광채

역시 미키가 물어보면 다들 모인다니까~.
역시 우리 5반의 아이돌이야!

뭐?
전혀! 그런 거 아니거든!!!!
모리야마가 온다고 할 줄은 몰랐어~.
모리야마
보나 마나 미키가 목적일걸.
분명 그거야~
예쁘니까
하지마
붕붕

아니라니까

1-2

…….

여기
…….
내 자리에
누가 있네….

아하하하

하…

기다리지
뭐.
기우뚱
기다리는
노력
말을 거는
노력
코유키 마음속 저울

……
!!!…
휘이잉

후다닥
사야!
이따 봐~.
벌떡
미안해!!!
네 자리지?
일어날게!!
아,
아니.
괜찮은데…

저…
히카와.
화났어?
미안해.
응?

(묘한 분위기~)
……

뭐가?
!
고오오

……
사과를
받을 만한 일이
있었나?
어리둥절

잠깐
앉아 있던 것
뿐인데…
화내지 말고
괜찮아!
괜찮아!
이렇게
넘어갈 수도
있지 않나….
무서워…

…하긴.
히카와가
웃는 모습은
상상이
안 가….

딩
댕
동
동

15:58
NINE 3분 전
:코융 집에 갔어?

…….

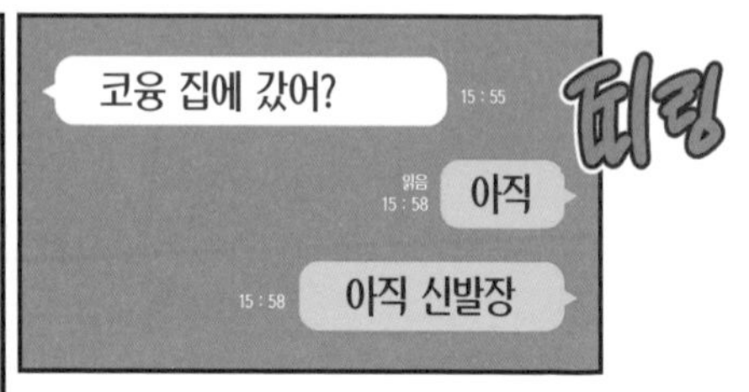
코융 집에 갔어?
15:55
띠링
읽음 15:58
아직
15:58
아직 신발장

오늘 알바 없으니까
같이 가자~
15:58
야호
띠링
15:59

야호
15:59
띠링
오케이
읽음 15:59

띠링
읽음 16:00
신발장 앞
금방 갈게
16:00
띠링
읽음 16:01
10
읽음 16:01
9
읽음 16:01
8
엇, 카운트다운?
16:02
읽음 16:02
7
아ㅋㅋ
16:02
띠링
잠깐만ㅋㅋ
16:02

다다
다
6.
띠링
다
5.
띠링
3.
띠링
4.
띠링
타다닷
2.
띠링
16 : 04
2
1
1
2
3
타앗

1.
쿠웅!!!
하아
하아
하아

푸하
안 늦었지?!
풉

폴짝
오!
웃겼어?
웃겼지??
흡.
흐흐.

봤지?
대박이지 않아?
오늘 내 최고 속도 기록.
푸흡
아니,
누가 그렇게까지 열심히….
푸흡

정말 바보라니까.

오랜만에
집에
같이 가네….
만세
신난다
응
네가 요즘
알바하느라
바빴으니까.

야
그런데 코융,
오늘
복도에서
마주쳤을 때
나 모르는
척했지?!
은근
충격
이었다고
아….
그냥…
그때 딱히
할 얘기도
없었으니까
…?
어리둥절…
너무해!!!!

…….

아즈미 대박 이다.
여왕이 쩔쩔매고 있어…
결점이 있긴 한가?
완전무결 여신 그 자체.
친화력 장난 아니네….
오버하긴….

6
5
4
3
12

…지쳤어.

30분 전
코유, 아직 시간 있어?
음, 난 콘수프
단팥죽 OK?
매번 헤어지기 전에 좀 더 얘기하고 싶음

좋은 애들이긴 한데~.
착한 애들이긴 한데~.

'귀엽다'
'예쁘다'
'졸귀탱'
뭔데?
오싸악~
왜지?!
무슨 아이돌처럼 보더라….

미키, 다리.
더 나를 욕하란 말야! (?)
콰작
※강철 캔
중학교 때처럼 고릴라 취급을 하라고!!
차라리!!!
쿠웅
미키의 깨는 포인트 ①: 괄괄함

다들 너무 착해서? 착해서 그런가? 나를 왜 그렇게 떠받드는 거지…? 왜? 뭐야? 무서워….
뭔데? 순수한 거야?
퓨, 퓨어라는 거냐고?
정신 차려….
미키의 깨는 포인트 ②: 형편없는 어휘력

Why?
다들 나를 성녀 같은 걸로 착각하나 봐….
어째서?
후훗
반 애들 앞에서도 이러면 좋을 텐데.
내숭 떨지 말고.
내숭 떠는 거 아니라고~.

주위에서 하도 치켜세우니까 본모습을 드러낼 수가 없다고 해야 하나….
그냥… 저절로….
으—음…
알 수 없는 기대치가 느껴져서… 그 이미지에 끼워 맞추느라…

…괜히 '모두가 생각하는 착한 아이'처럼 행동을….
으—음…
……
그게 바로 내숭 아닌가 …?
(말은 못 함)

나도 맨날 까불고 장난치고 싶어….
꽈악…
큰 소리로 웃기도 하고….
나대고 싶다고….
억눌렸던 감정이 이상한 방향으로….
미키의 손

걔들은 내가 농담해 봤자 빵 터질 성격도 아니고…
끄—응
걱정 마.

네가 어떤 사람이든
결에 남을 사람은
분명 있을 테니까.
아이돌이든 고릴라든.
안 맞는 사람은 떨어져 나가겠지만,
그게 더 낫지 않겠어?
오히려
BIG 콘서트

우리는
친구잖아?
대박이다, 아직도 버티네.
차라리 그만두지.
키득키득

…….
…나라면,

안 맞는 사람이랑 부대낄 바에는…
혼자 있는 게 좋아.
뭐어~?
난 하루라도 말 안 하면 죽는다고….
안돼
그렇겠지.
너는

나도 너처럼 혼자 지낼 수 있을 만큼 강해지고 싶어.
…….
꼭 내 행동이 정답이란 말은 아니지만.
편하게 해

남을 생각하고
어울릴 줄
아는 사람이
얼마나 멋진데

그래도
힘들면
그만둬

미키처럼
친화력 좋은
애도

자기 본모습이랑
남이 보는 모습은
다르구나….

아냐,
몇 반인지도
모르고….
힌트가 없어…
?
…….
그러고
보니까.
미키도
개네를 아나…?
인싸니까…
①갈색 머리
②키다리
흐리잇
(어렴풋한 기억)
응?
뭔데?

…영 기억이
안 나네.
음,
서로 이름을
불렀던 것
같은데….
가물~
…….
?
?

…….

잠잠…
아무것도 아니야.
김 빠져!!
그냥… 벌로 중요한 것도 아니어서….
너무해―!!!
너어―
방금 말하려다가 생각해 보니 귀찮아져서 관뒀지?!
아, 미키.
왜?!!
공부는 하고 있어?
'시험 끝나면 과자 파티' 한다고 신났잖아….
!

…….
…….

훗

갑자기 말 돌리지 말아 줄래?
안 하는구나.
미키의 깨는 포인트 ③ : 바보

키리노시마 중학교
코유키~.
아,
네!
오늘 매점에 빵 뭐 들어왔냐?
아, 음… 야키소바 빵이요.
왜 굳이 나한테….

뭐 샀어?
달걀 샌드위치요….
좋네, 나도 그거 사야지.
너는 왜?
크하하
너 도시락 가져왔잖아
그런데—
하하하
슬금…
이제 가도 되나….
빵 먹고 싶어…
야, 코유키.

우리 중에서
누가 제일 멋있냐?
픕

응…? 이게 무슨
뜬금없는 소리지?

뭐라고 대답해야 하지?
모르겠어…
어,
그게.

무흡

크하하하하하.
귀여워~~~~.
흐음— 쿡
배 아파 쿡
……..
야 그만해
아니, 너도 웃고 있으면서
크하하하하
야.
후배 그만 괴롭혀.
코유키, 그만 가 봐.
아
네…
야 방해하지 마!
넌 아무도 안 불렀어!
코유키.

…네?
아,
네.
상대하지 마!
이런 장난에 일일이 대꾸할 필요 없어!

우리가 언제 장난 쳤다고—
시끄러워!!
가만히 있었는데 웃음거리가 됐어….
내가 왜….

오, 코유키 미안.
땅꼬마라서 있는지도 몰랐어.

퍽

하하
야~ 아마노, 얘한테 키 좀 나눠 줘라.
토옥

오싹

이가라시는 진짜 다 티 나네~.
알기 쉽게.
…아니야.
응?
작고 싶어서 작은 게 아니라고.
빠직
선 세게 넘음

걔네는 그냥 말 걸고 싶어서 그런 거니까
신경 쓰지 마.
나… 친하지도 않으면서 남을 웃음거리로 받는 사람은
딱 질색이야.
아~….
불쌍한 이가라시.

옛날부터
야, 땅꼬마~.
사람 무시 하지 마, 땅콩 유키.
하하하
줄곧 했던 생각.
뭐? 장난 이잖아.
그깟 일로 질질 짜지 마.

후배를 귀여워하고 있었을 뿐이야.
나만의 애정 표현인데?
하하
그만해
왜
코유키는 타츠 선배 그룹이 예뻐하잖아.
부러워~ㅋ

너 그거 뭐냐? 하나도 안 귀여워~.
취향 진짜 특이하다.
……
이가라시는 백 퍼 널 좋아하는 거야.
그게
'장난'이나 '호의'라면 용서받는 걸까?

이런 장난에 일일이 대꾸할 필요 없어!

내가 먼저 엮이려고 한 적도 없는데,

왜 멋대로 넘어오는 걸까?

제발 날
내버려 둬.

메이텐 고등학교
얘, 히카와~.

아.

또 여기에서 먹니~?
보건실은 밥 먹는 곳이 아니야~.
여기는 난방이 빵빵 하니까….
교실은 춥고….
노리코 쌤, 살려 줘요.
내가 뭘 해 줄 수 있겠니.
칫

시끌시끌
세상에~~ 심하게 다쳤네.
팔 쫙 까졌어요.
보건 쌤~.
그리고 너, 한창 클 때 빵만 먹고 때우다니….

홍차로 입가심 하자….
아야야야야야야.

우물 우물
꿀꺽

아유~ 엄살 부리지 마, 모양 빠지게!
어머?
안 그러니, 히카와….
텨엉

한가롭고

조용하고

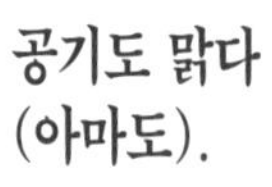
공기도 맑다
(아마도).

간다
하하하하하

…충분하네.

ㅋㅋㅋ

하하하
남자애들은… 왜 무리를 지어서 다닐까?
…아냐, 사람마다 다른가?
남자든 여자든…
…아

아자
슬리퍼가 빨간 색이네.
전부 1학년 인가?
저 아이….
학년에 따라 색이 다름
1학년
2학년
3학년

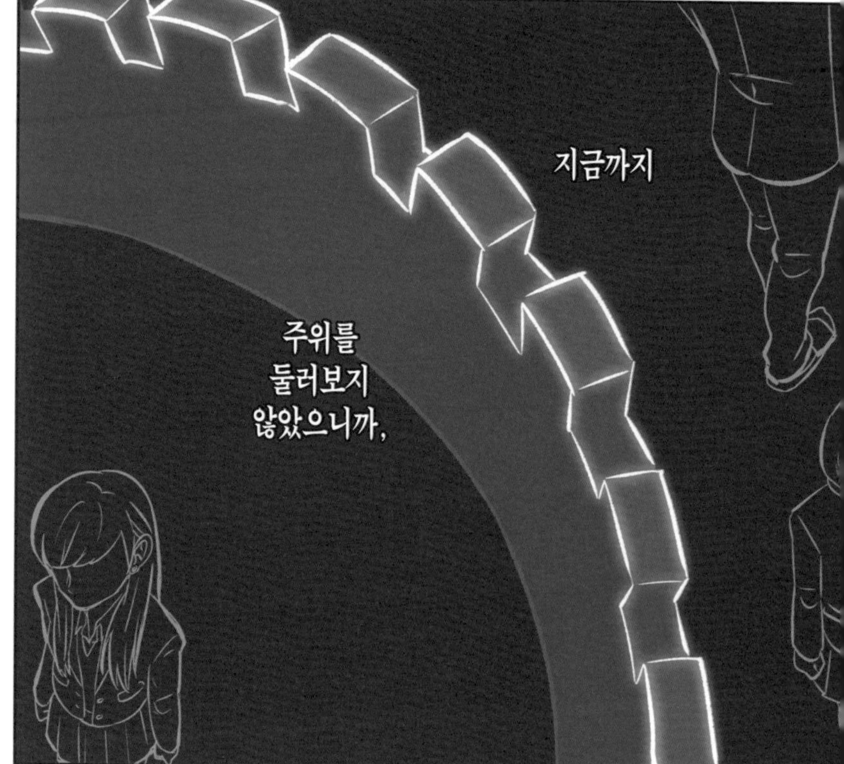
지금까지
주위를 둘러보지 않았으니까,

같은 학년에
누가 있는지도

전혀
몰랐네.

!

까악!

아차.
홱액
눈
마주쳤나?
방금?
…설마.
후다닥…
!
!

……

순간 고개를 돌려 버렸네.
이상하게.
아니, 딱히 인사할 사이도 아니고….
뭐, 어때.

카레 DRINK
초 따뜻한 코코아
어디 보자….
밀크 티라… 코코아도 괜찮네.
이건 아니고.
뭐야 이게

코코아 마셔야 겠다.

왜
무시해~?
흠칫
깜짝
빡
덜커엉

중학교 때,
이가라시 츠바사를 싫어했다.
반가워~.
옆자리네
잘 부탁해.
처음에는 별일 없었지만

야~ 맨날 뭐 읽고 있어?
에이… 재미없게 생겼다~….
노는 게 낫지 않아?
…….
매일 같이

반복
또 반복.
너 몇 점 이냐?
우와?! 공붓벌레 잖아!!
팍
멋대로 봐 놓고서…
아주 조금 '싫은 느낌'을
꾹 참다
문득 깨달은 순간,

빠직
끔찍하게 싫어졌다.
끈덕지기는!!!

보기도 싫고 목소리도 듣기 싫어졌어….
안 되겠다.
왜 맨날 눈에 띄는 위치에 오냐고….
목소리도 크고…
힐끔거리기 까지….
내 말이!!!
…!
힐끔 힐끔
힐끔 힐끔

…이러고 싶다.
엉뚱한 생각만 하네.
할 수는 없지만…
그러나
그래, 그래! 참 재미있다!! 알았으니까!! 저리 가!!
착
와장창

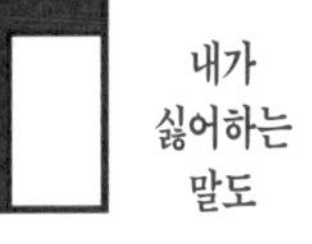
내가
싫어하는
말도

다른 애들은
재밌어한다.
좀ㅡ
ㅋㅋㅋ

그 애
주위에는
늘 친구가
있고,

…나만
이래?

내 속이
좁은
건가…?

시끌

시끌

꼭
나만
동떨어진
기분이었다.

띨롱

흠칫
깜짝
왜 무시해~?
빡

응?
손?
손 흔드니까 도망가던데.

?
무시…?

앗 나 때문이잖아
아니, 잘못 눌렀어…
그게 뭐야 너 그거 좋아해?

응.
나도 알아.
나쁜 뜻은 없었…
는데.
나한테 인사한 줄 몰랐어….
짜안
뭐?

충격 받았어~.
아.
?
…미안?
미,
한가?
?
흘쩍

얘…
나쁜 애 같지는 않은데.
미안~
으~음….

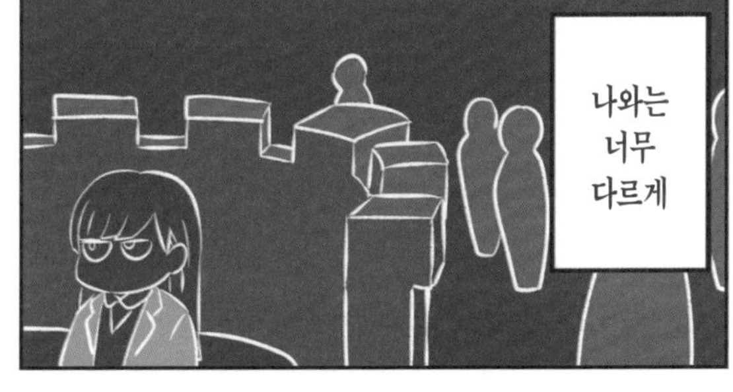
나와는 너무 다르게

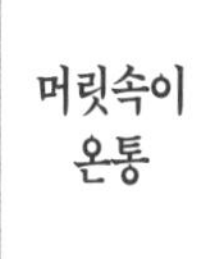
머릿속이 온통

서슴없이 다가오는 이 애를 보니
야호

…어쩐지
무서워.
경계심
과

…그나저나.
너
누구야?
의문으로 가득찬다.

…야~.

뭐 하냐, 아마미야~?

……
아마미야
….
응?
맞아.
내 이름.
아마미야
미나토.

잘
부탁해~.
꾸벅
뭐?
갑자기 웬
자기소개?
작업
거냐?
웃기고
있네.
으응…
뭐야,
무슨
일인데?

이 녀석
되게
허물없지?
조심하는 게
좋아~.
위험하니까
와락
어익

알았지?
냐하하
아
진짜~
시끄러워
죽겠네!
슉
크하하하
찔
찔

저리 가!
아….
이런 분위기.
……
엄청!!
싫어!!!
웃기시네-!!!
잘 되는 꼴 못 보지
ㅋㅋㅋ
…….
뭐라고 할까.

엄청나게
거북하네
∘∘∘。

어?

……

어라…?
?

스윽

쭈욱
?!

?
?
어…
갑자기
뭐지?

아.
Remind

아하,
이건….
장난치는
거네….
아
어떻게
받아치는 게
정답일까….
① 화낸다
② 쑥스러워한다
아이참~
하지
마
③ 웃는다
재미
있네~
…일단

생긋
찌릿
…웃자.
3

……

……
생긋… 하고…
※③

성큼 성큼

꾸벅

뭐냐, 쟤 좀 기분 나빠~….
으아~….

…….

생각보다
표정 근육이
굳어 있어….
아무리 그래도
심하네
스스로도 깜짝 놀람

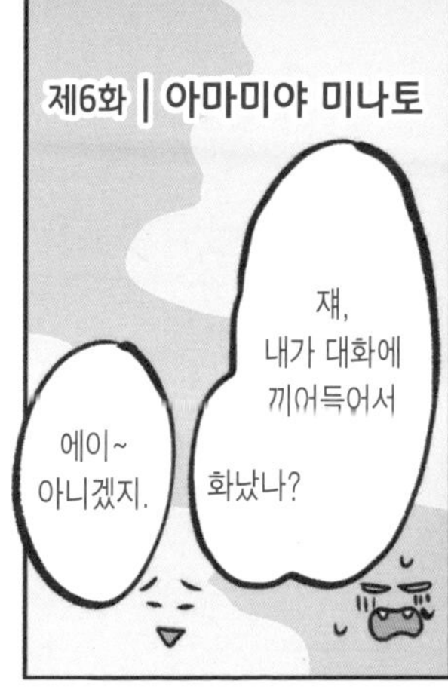
재,
내가 대화에
끼어들어서
화났나?
에이~
아니겠지.

헉
설마.

화가
났다기
보단…
내가 언제—
하하
네가
치대니까…

오히려…
벽?

매점에
먹을 만한
빵은
모조리
동났더라~.
추~욱
오,
반장
고생했어~.
바게트…?
바게트…
아니 웬
바게트래?
하아~…

어?
인간 컬링
벌써 끝났어?
인간 컬링
십십함을 주체할 수 없는
남고딩의 놀이
10점
60점
100점
0점
스릴을
즐겨라!!!
※착한 어린이는 따라하지 마세요

아니,
아마미야가
도망쳐서
아직.
야
누가
들으면
오해할라.

요우타,
수레
탈래?
오?
좋지 근데
이거부터
먹고
아니,
요우타는
삐져
나올걸….

와글
와글

슬슬 교실로
돌아가야
하지 않나?
에이~
기껏 여기
왔는데~.
신경
쓰지 마
요우타

조———용…
※점심시간

1-2
HP
DOWN
우리 반에서 볼 수 없는 분위기였어….
2반이라 다행이다.

뭐랄까…?
자, 여기 교과서
너희 반은 언제 와도 조용하네.
초상났냐.
근데 어디서 카레 냄새 나지 않냐?
드라마 같은 청춘은 존재하지 않아….
괜히 싫은 과목을 버린답시고 선택 과목을 미술로 골랐어….
쉬는 시간에 그림 그리거나 게임하는 애들밖에 없다고….

도대체 누가
교실에서 카레를 먹은 거야….

1-6
쭈욱—
너, 아까 그건 뭐냐?
참.

뭐라고 해야 할까?
음~….

개인기?
완전 노잼
아니거든?
시끄러워—

그러워. 징그러워.
그러워. 징그러워.
그러워. 징그러워.
그러워. 징그러워.
우웩, 소름.
오싹
나랑 걔랑만 통하는 비밀 신호?

미나토,
너 또 뭐
잘못했어?
엌
병
도졌어.
아무 짓도
안 했어.
'또'는
무슨
그리고
하야토
입 다물어.

여기는?
팔꿈치
?!!
악
아니,
왜?
맞잖아

하긴~…
그래.
미나토는
어쩔 수
없겠다.
잘생겼
으니.
나
다음으로.
닥쳐,
쌍꺼풀
테이프.

테이프
아니
라고!
크
하
하
하
하
시끌
왁자
지껄
아주
놀자판
이네—
시끌
1학년 6반(선택 과목 음악)…상당히 무법 지대

뭐,
아까는 나도
삘짓했지만…
하야토도
마찬가지
였어!

알았지!!!
냐하하핫
알았지!
하야토 목소리랑 똑같아 ㅋㅋㅋㅋ

힉-
이렇게!
크하하하
터짐
야.

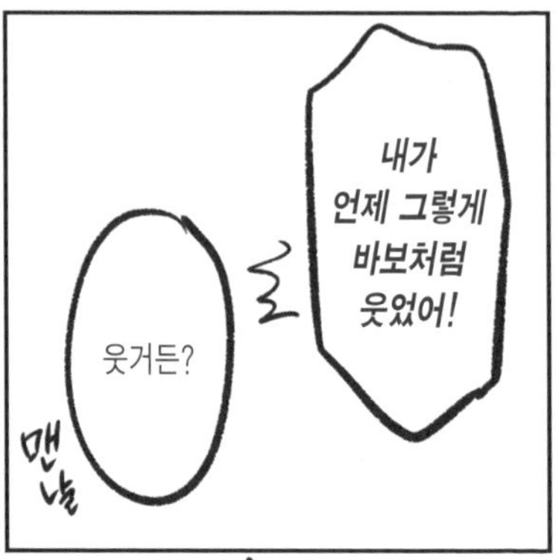
내가 언제 그렇게 바보처럼 웃었어!
웃거든?
맨날

아마미야 완전 똑같아
아카호시 들은 필요 없어—
뭐?

아카호시 시끄러워~!
하하하
아니 왜 나만?!
ㅋㅋㅋㅋ
하하

그래,
그래.
이거지.

역시
'우리끼리 통하는 소재'는 잘 먹혀.

이렇게 다 같이
웃고 떠들 때가
가장 즐거워.

나로 인해
애들이 웃으면
더 좋고.

생각보다 어렵겠네.
…….

어?
저런 애가 있었나?
아~.
표정 험악하네….
쟤 아마 2반 히카와일 거야.
아, 맞아. 타니양.
2반에 같은 중학교 출신이 있는데….
그 녀석 말로는….
붙임성이 없어서 반에서 겉도는 것 같더라고.
…….
그래?

2반 히가시?
같이 노는 애도 없고
길을 걸어도 거들떠도 안 본대.
반 행사도 관심 없고
애들을 무시하나 싶을 정도래.
자존심도 세고?
잘은 몰라도
차갑게 구니까 타니양이 그냥 아니꼽게 봤을 수도 있고ㅋㅋ
그 녀석 뒤끝 있거든
그래?
…….

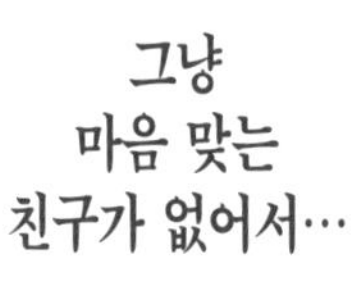

…그런 거 아닌가?

지금까지
'막상
얘기해 보면
의외로
좋은 녀석'은
꽤 많았어.

주위에
말이 통하는
친구가 없어서
좀 심심하던
참이었어.

내가 먼저
말을 붙이는
재주가
없거든….
만화
이야기를
할 수 있어서
기뻐….

말 걸기 어렵게
생겼다는 말을
자주 들어.

고마워.

별말씀을.

만약
고립의
원인이
반 애들한테도
있다고
쳤을 때,
나라면?

그 뒤로

쟤….
열씨구~

너 학교에서 이러고 있다고 네 여친한테 보여 주고 싶다.
젠장
내 말이
검열
다른 학교 애랑만 사귀고.

…….

히힛☆
뭐야? 열받네….

아아~
그러데 여자애 들은
하아~~

아닌 척해도 결국 이런 놈한테 속아 넘어간다니까~.

……,

피해자
행세
하면서
남자한테
꼬리 치니까
좋아?

…….

……쳇

제8화 | 소꿉친구

야,
땅꼬마!
듣고 있냐?
6
5
4
3
12

무시
하냐?
야-
…….
내가
나쁜 짓을
하지 않아도
괴로운 일은
닥치기
마련이다.

귀가
막혔냐?
덥석
!!
울컥

내가 그렇게 싫으면
화악
내버려 두란 말이야!!

생각을 말로 전해 봤자
....

......풉
크하하하!
땅꼬마 화났대요!
'내버려 두란 말이야 !!!'
내버래 두란 뭬리야 !!!
와하하
......
와아

그렇게
생각한 적이
자주
있었다.
무슨 말을
해 봤자
들은 척도
안 해….
어?
우냐?
'말이
통하지 않으면
아무
소용없다.'
귓등
으로도
안 듣잖아
….
?
크하하

내가
만약
보기만 해도
도망치고
싶어질 만큼
무섭게
생겼다면
좋았을
텐데.
으악—

아니면
엄청나게
상한
아.

철썩—
힘이 있
억!

우와…
…거나.
털썩
주춤
※뒤통수를 세게 때리는 행위는 몹시 위험합니다.
절대로 따라하지 마세요.

휘이잉이이잉
아야…
뭐 하는 거야~?
삼겹살?
아즈미…
윽

놀고 있는 거면
꽈악…
나도 끼워 주라.
우둑…
그리고 나 삼겹살 아니라고!
됐거든!!
이 고릴라야!!
※니까
쌔앵
꽁무니 빼면서 큰소리 치기는.
웃겨
저 녀석들 코웅 혼자 있을 때만 까분다니까? 찌질해~.
힘을 원해….
……
……
엥?!
왜?! 필요 없지 않아?!
나는 고릴라 소리나 듣는데?!
……
그래도 좋아.
어렸을 적 나에게

아즈미 미키는
영웅이었다.
이상해~
그 영웅은 지금

사람
살려….
머리
터지겠어
….
나 죽어
….

죽어 가고
있다.
…….
잠깐
쉴까?

뭔데?
'귀엽다'
'예쁘다'
이, 그거….
'지친다'고 했잖아.
단말
단말
어? 뭐가?
…그 뒤로는 어때?

그런데 뭔가,
막상 '본모습을 드러내자!' 마음먹어도 잘 안 돼.
지금 시험공부에 시달리느라 잊고 있었어.
헬쑥…
그래….

원래부터 '진짜 나'라는 게 없었던 것처럼
교실에 들어서면 나도 모르게 그렇게 된단 말이지.
정말….

진짜 나란
뭘까…?
나도
내 마음을
모르겠어….

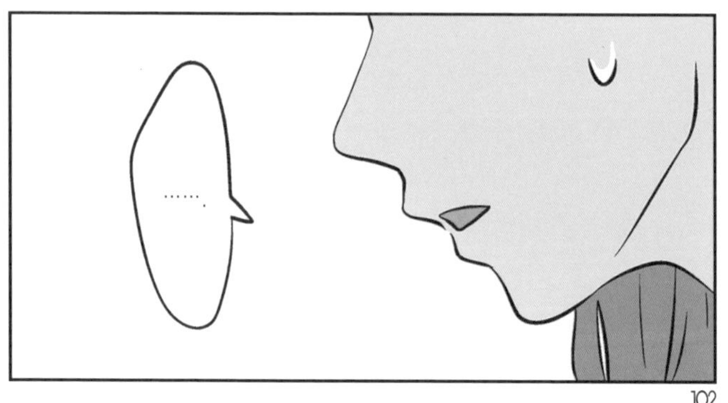
…….

짜악
?!
미….

안 돼,
안 돼,
안 돼!
지금
나 완전
징징대고
있어!
아냐!
아냐!
아냐~!!!
지금 이건
진짜 내가
아니라고~!!
와악-!

……
욱 욱

안— 돼—!!!
유급하면 동생이랑 같은 학년이라고!
…하아 ~….
시험 범위가 이렇게 넓을 줄은 몰랐어….
방심했다….
이제라도 알아서 다행이네.
잠깐, 나 어떡하지? 진짜 큰일 났어. 나 저번 수학 점수 망해서 이번에 만회해야 하는데.
미키….

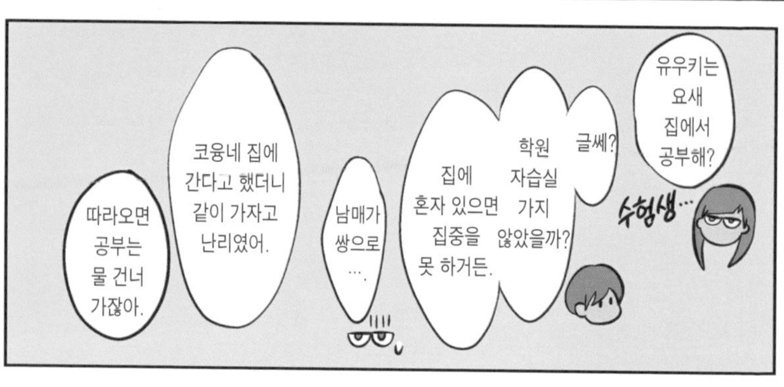
유우키는 요새 집에서 공부해?
수험생…
글쎄?
학원 자습실 가지 않았을까?
집에 혼자 있으면 집중을 못 하거든.
남매가 쌍으로….
코융네 집에 간다고 했더니 같이 가자고 난리였어.
따라오면 공부는 물 건너 가잖아.

아, 맞다!
코융, 다음 주에 학교 끝나고 주민 센터 자습실 가지 않을래?
? 어디?
학교에서 역 방향으로 가면 있어!!
동네
역
here!
학교
그래?
어디지….

거기
자습실?
다목적실?
같은 곳이
있거든!
슬쩍 한번
보고 왔는데,
대박이었어~!
빡
집중할 수
있을걸
공기가 완전
딴 세상이라
못 들어가고
집에 왔지만.
조~용…
도망친
거네….
그럼,
암기 과목은
거기에서
하고….
자,
쉬는 시간 끝
수학은
오늘 다
마스터하고
집에 가.
흐엉~~~
단팥
샌드

그럼,
내일 봐~.

조용...

탁
탁
탁...

빼꼼
얼른 들어가.
(웃음)
굿 나잇~.
쏙쏙...

다녀왔습니다.
철컥

히노
Hino

어서 오렴.
늦었구나.
네.
주민 센터에서 공부했어요.
아마 내일도
늦을 거예요.

제9화 | 만남

이거
미키
거네.
1학년 5반 1번
아즈미 미키
5반….
4F
머네
….
귀찮~
에이
아니야.

수업 때
필요할 수도
있으니
갖다줘야지….

5반 교실에
가는 게
얼마 만이더라?

예전에
갔을 때….
1-5
미키….
교과서
빌리…
화들짝
?!
려?!
반짝
반짝~
새로운 반에서
빛나는 미키가
너무나 멀게
느껴져서….
맞아~
New미키~~…!
눈부셔…
반짝
반짝
짝

관두자….
휘익
세상에….
너무 딴판이라 조금 재미….
아니지.
대단하다….
저렇게까지 다른 사람이 될 수 있구나….
본인은 노력하고 있으니 웃으면 안 돼…!
확실히 차가워 보이네~.
흐읍
…….
1-5
모르는 척하자 싶어서
점점 다가가지 않게 됐지.
진짜 오랜만에 오네.
볼 일도 없고

보나 마나 미키는 아직 안 왔을 테니 책상 서랍에
넣어 두자….
드르륵
어?

?!
※코유키의 시야
포
옥

앗!
아.

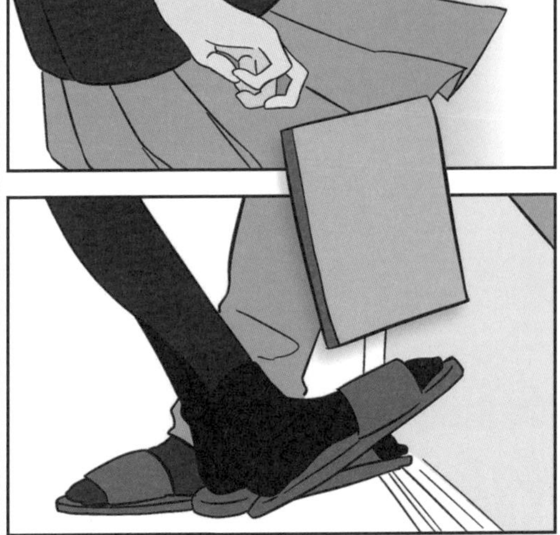
투욱

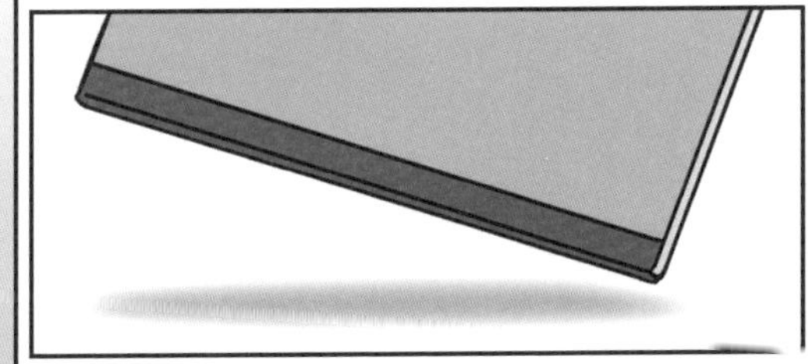

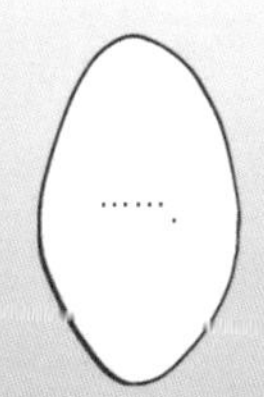
…….

잡았다….
……!!
까….
CATCH!

깜짝이야
~~~!
괜찮아?
두근 두근 두근
아.

이 아이,
지난번에
….
…….
응?
찌릿
?!
~~~

어?

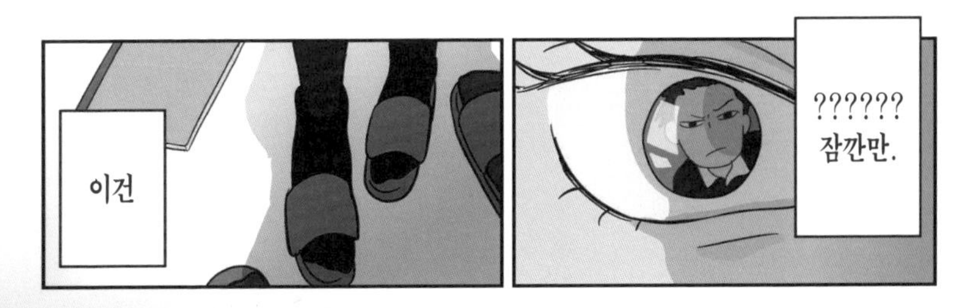

무슨
상황이지?

기린한테
밥 주자.
…….
스윽…
으아아아악
날름…
불쑥

응앙-!
하하
퍼뜩
아~!!

지난번의 그 친구네!
아, 네….
방금 주마등이….
히—익
빤
홱,
오늘 렌즈를 안 껴서 잘 안 보이거든….
아무튼 미안. 괜찮아?
괜찮아,
괜찮아!!
어?
1학년 5반 1번 아즈미 미키

미키 친구야?
아, 네….
'미키'….
덥석

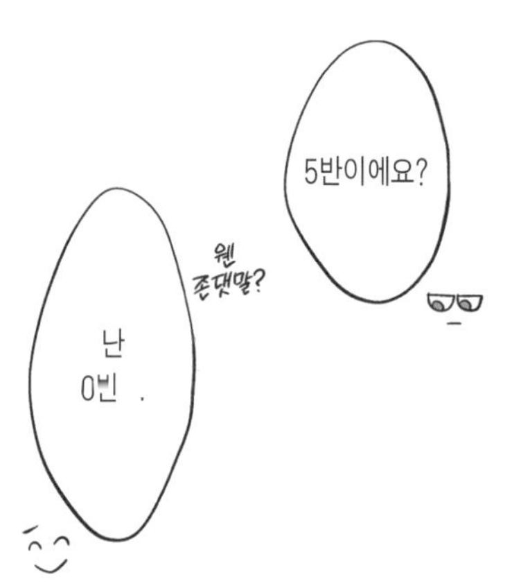
5반이에요?
웬 존댓말?
난 0빈 .

친구한테 빌려줬던 교과서 가지러 왔어.
내맘대로
자
고마워요….
나랑 반대네….

미키한테 이거 돌려주러 왔는데….
아.
왜?

미키 자리를 모르네….
하하
진짜?

이리 와.
까딱
까딱

어디 보자….
아마 여기일 거야.
톡
아마….
장난이야, '여기 맞아'.
씽아
책상에 낙서하고 갈래?
'공책 두고 간다' 라고.
샤프 있어
메시지 보내면 돼요.
됐어요.
앗, 그 방법이 있었네!
난 책상에 대문짝만하게 썼는데.
교과서 가져간다~ 라고
실실
뭔가…
느긋한 애네.
흠

…어,
으~음….
시험공부
열심히 해~.
고마웠어요….
그럼.

히무로.

아….
히무로
아닌데
…
히카와

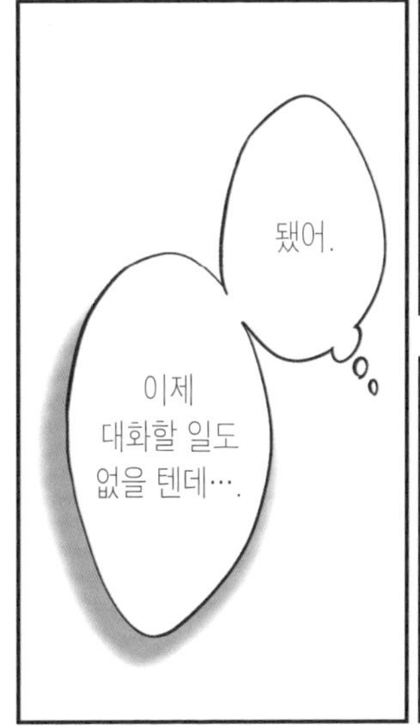
됐어.
이제
대화할 일도
없을 텐데….

앗.
딴짓하지
말고
공부해야지!!
딩―동
댕―동
대―앵

16:01
미키 : 미안해!

우웅

16 : 01
종례가 길어져서
아직 멀었어~!
으~앙
16 : 01
길어~
몰래 연락
16 : 02
주민 센터 위치 알아?
갈 수 있으면
먼저 가 있어…

…….
음…

…그런데.

재잘
혼자야?
혼자 아니에요.
에~이, 혼자잖아.
웬 날벼락인가.
재잘

왜…
학교 밖에선 이런 일만 생길까…?
따라오지 마
시끄러워
미키 끝날 때까지 기다릴걸 그랬나…?
아냐, 5반은 맨날 종례 늦게 끝나니까…

길 잃어 버렸지?

아까부터 같은 곳을 맴돌고 있던데?
하하
보고 있었나….

지도 보여 줘.
저리 가라고
아~ 여기구나.

데려다줄까?
네?

저기에
차 세워 놨거든.

아, 이거
딱 봐도 위험한 상황.

괜찮아요.
아,
잠깐만.
휙
!
덥석
오싹

혹시
겁먹었어?
걱정 마.
우리는
완~전 안전한
사람이니까♡
풉

크하하하
웃기시네
이런
상황…
…아…
……
딱
질색이야.
안 돼.

안 돼.

도망쳐야 해.

…아.

스…
……….

……….
아차….

이름을
모르네.

재
이름이 뭐었지?
지난번에도 생각 안 났는데 ….
아…
모르겠다.
기린!!
붕 붕
HELP!!
엥?
갑자기
뭐야?
아는 사람?
……!
봤…。
아.

흐리멍덩~
…….

지그시
눈이 나빴지!!!!

홱
아~….

가 버렸다.
아~…
하긴 뭐,
친구도 아닌데 뜬금 없었겠지.
하하하
풉, 무시하고 그냥 가는데?
이쪽은 빵 터졌고.
아예 쌩까더라.
신경 쓰지 마.

됐어, 지금부터 우리랑 놀러 갈 건데 뭐.
안 간다고요!!
역시 길 알려 줄 생각 없잖아!

아아.
같이
가야지.
어떡
하지?
그런
분위기잖아.
무서워.
저쪽은
두 사람
난 혼자
괜히
이 사람들을
화나게 하면
어떡하지?
사람
우습게
보고
시간
아까워
열받아.
분해.
…
말했잖아.
꽈악

제발…
안 간다고!!
타
악
나 좀
내버려
둬….

미안,
괜찮아?
퍽
욱
이크.
억
헤액
갈게요.
아.
뒤…

아.
너
맞구나!

아까 무시해서 미안해.
저쪽 횡단보도를 건너야 올 수 있거든—
저,
저기,

소곤
친구인 척 해 주세요.

뭐?
친구 만났으니 이제 괜찮아요!
갈게요!!
샤샥
어?
엥?
미안한데,
저 사람들이랑 멀어질 때까지… 같이 가 주세요.
소곤
!

흘끔

째릿
?!

흐릿~
아는 사람….
빤ㅡㅡㅡ
???

엄청 위협하고 있는데…
덩치 진짜 크다ㅡ…

빠안~
…은 아닌가?
으~음

홱

후다다닥

……
청춘이구만
고등학생 무섭다ㅡ
내 말이

꾸벅
감사
했습니다.

?

자꾸
추근거려서
…
이야~.

아는 사람들
아니었어?
도리 도리
NO!

에이~.
나
아무것도
안 했는데?
……
진짜
크네….
나도
이렇게
태어났음
좋았을걸
어리 둥절

오싹
!
인기 많네.

그런 거 아니야…!!

음….
아….
어…?

'저런 건'
인기 있어서나
내가 좋아서

그런 게
아니라….

알고
있다.

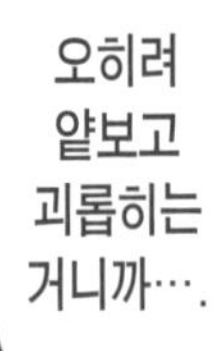

결코
호의가
아니다.

별로 기뻐할 수 없는 상황…
아닐까요….
아니지.
뭘 애써 설명하고 있어.
대충 넘기면 되는 이야기를.
……. 음….
부담스럽게…

그 녀석들 확 두들겨 팰걸 그랬나?
엥?

그렇게까지 할 필요는 없는데요
그래?

아무튼,
도망치기 위해 이용한 것 같아서
미안 해요.
어어?
왜 사과를 해.
친하지도 않은데….
하하
그런 일로 마음 상하거나 하지 않아.

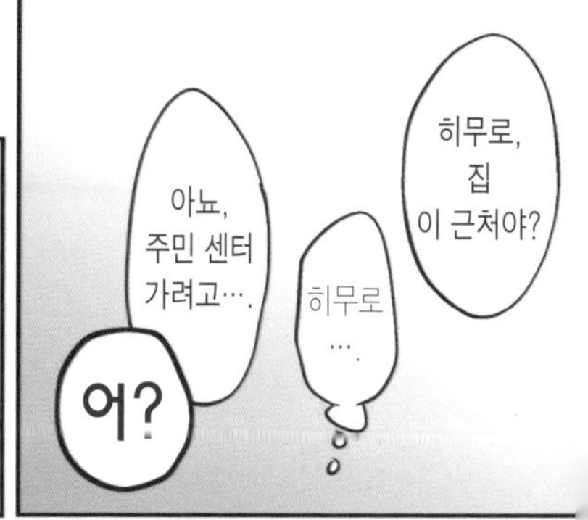

히무로, 집이 근처야?
히무로….
아뇨, 주민 센터 가려고….
어?

나도 거기 가는 길이야!

그럼,
같이 갈까?
…….
네.

저,
저기….
응?

※일본에선 성으로 부르는 게 일반적이다.

주민 센터 여기에서 얼마나 걸려요?
지도를 잘 못 봐서….
그래?
5분 정도 더 가면 돼.
터벅
터벅
빨리 말을 하지~.
미안~!
이름에 애착은 없으니까요….
뭐야~.

빙글빙글 돌고 있었던 건가…
……
난 고작 5분 거리를

…….

힐끔

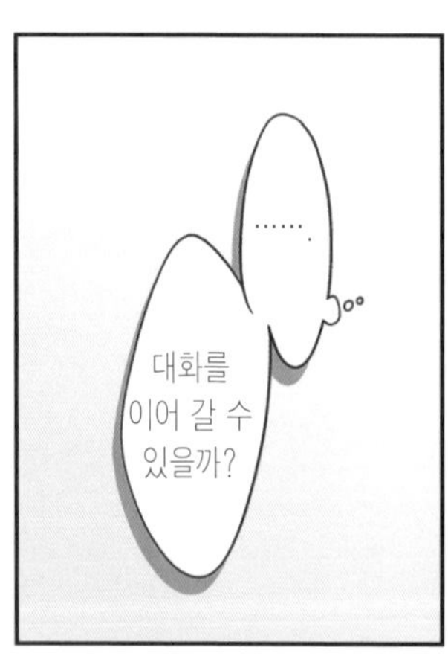
……
대화를 이어 갈 수 있을까?

5분….

…….
…….
히카와 너,
미키랑 친해?
!
아, 네… 소꿉친구예요.
집이 가까워서….
같은 초중
오!
그렇구나!
?
기뻐 보이네….

나 중학교 때 미키랑 같은 학원 다녔거든.
꽤~ 친해
아.
그러고 보니 미키는 멀리 있는 학원에 다녔지….
큰 곳
성적이 너무 안 나와서
그렇다면
'진짜 모습'
알고 있으려나….
NOW
미키는
'있는 그대로'인 모습이 훨씬 더 좋은데.

나도 그렇게 생각해!
그렇지~?
진짜 애들한테 알려 주고 싶을 정도야.
하하
너무 아쉬워~.
……

네가 어떤 사람이든 곁에 남을 사람은 분명 있을 테니까.

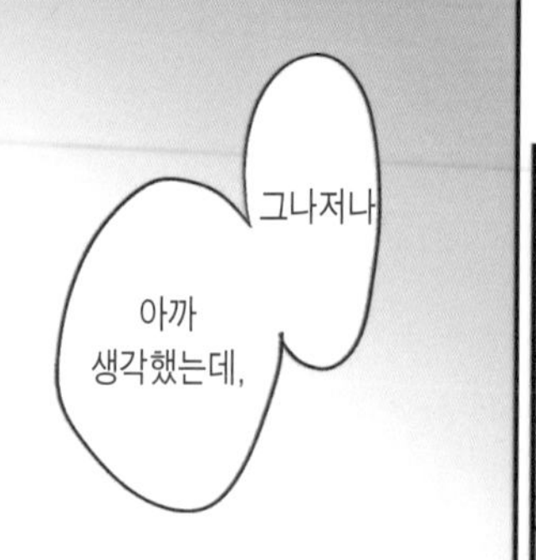
그나저나
아까 생각했는데,

딱히 '척'이 아니어도 되지 않아?

"친구인 척 해 주세요."

그런가….
응, 그렇지.
…….

…요,
요우타.
응~?
성은…?
괜찮다면…
아.
'히노'!
히노 요우타.
해를 뜻하는 '날 일'이랑~
들을 뜻하는 '야'에~…
태양할 때 '양'에~
너는?
히카와 코유키….
얼음 빙에 강 천 작은 눈
저거 요우타 아니야?
응?
우물

아,
정말이네.
키가 커서 눈에 띈다니까
그런데,
옆에 애는 누구지?
2층

?

뭐야.
?

제11화 | 세 사람
쉬~잇
어?
…….

미키 자리는 여기야.
※작은 목소리
그런데
고마워 ….
아니, 뭐야?
엇
어떻게 된 일이야? 왜 둘이 같이 있어??

어떻게 된 일…?
훗
하긴
키득…

?
?

아니,
도대체….
쉿!

아.
죄송합니다…
찔끔
뻔…
찌릿…
이따
물어볼까
…?
음~…

짧…

아휴,
정말
~~!!

…짝
놀랐
잖아!
너희 둘이
접점이
있었어?!
금시초문!!!
코융도
내가
오기 전에
가르쳐
줘야지!
요우타가
있다고
내가
말하지
말라고
했어~.
놀라게
해 주자고~
진
짜
!!!
코융도
뭘
받아 주고
있어?!

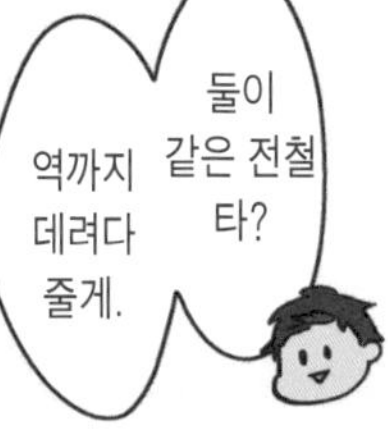
둘이
같은 전철
타?
역까지
데려다
줄게.

와!
그래!

아니
늦었으니
됐어….

또
무슨 일이
생기면
안 되잖아.
싱긋
아….
응?
뭔데?
뭔데?!
아까….
이러쿵
저러쿵
뭐어?!
걔네 뭐야?
확 두들겨
패지!
하하

요우타, 그 자습실 자주 가?
아~ 응.
동생들이 아직 어려서 집안이 떠들썩 하거든….
아, 그렇구나.
지금 몇 살 이었지?
둘 다 세 살.
쌍둥이
오?
나이 차이가 많이 나네….
어머니 힘드셨겠다….

학교에서 집이 더 가깝지만
여기는 집중할 수 있으니까.
야!
나도 그랬어.
오늘 거짓말처럼 집중이 잘되더라.
폰 안 만졌어!!!!

그리고
주위 사람도 그렇지만, 너희 둘이 열심히 공부하니까
장난칠 틈이 하나도 없었어.
장난칠 필요 없어.
하하
아.

징~
1000엔권
공부 열심히 했으니까 방문 보상을 해야지.
나도 마셔야지~.
오~ 좋지
삑
멍~
자판기보다 크잖아…?
좋겠다
덜컹!

잠깐 기다려~.
?

너희도 골라.
앗, 사 주게?!
미키는 단팥죽이지?
와!
잘 아네~.

요우타, 고마워!
다음엔 내가 쏠게~
영차
아

쨍그랑
쨍그랑
짤랑
짤라랑
꺄아!
어째서야?!

내가 못 살아~!!
지폐만 넣을 거면서 왜 동전까지 쥐고 있는 거야~!!!!
미안 미안
허둥
지둥

히카와는?
마실 거
어, 나?!
아, 아니야.
설레 설레
나는….
미안 해서…

…….

그럼,
미키 네가 대신 골라 줘.
나만 믿어.

으ー음
코융은 콘수프려나~.
그치만 내가 단팥죽 마시고 싶으니까 코융도 단팥죽!!
그게 뭐야.
쿡
똑같은 걸 마시고 같이 '맛있다~' 하고 싶거든!
하하
제멋 대로긴~.
…….
이히히

사이좋네~.
팥죽
팥죽

아까도 말했지만
우리는 중학교 때 같은 학원 다녀서
종종 미키랑 미나토랑 셋이 있었어.
학원 끝나고 밥 먹거나 수다 떨거나

코융,
미나토도
알아?
어?

아마미야
말이야?
미나…
아,

하하
농담이야,
농담.
요우타는
아마미야랑
사이
안 좋아…?
말에
가시가…

가엾
기도
하지.
그냥
무시해도
돼.
미나토가
못살게
굴었어~.
아니,
안다고
할지….
응?

코융
이랑…
요우타랑
미나토….

…….

주위 애들이 히카와를 '코융'이라고 불러?
아니, 미키만.
애초에 부르는 사람이 별로 없음

코융
네!
?!

그나저나 이제 편하게 말해.
어색하게 대하는 거 싫거든.
가끔 하는 존댓말도 금지
앗.

음.
좋은 별명이네.
그렇지?
왜 우쭐해 하는 거야….

그 마음 알지.
나도 '동경하는 미키'보다 '허물없는 친구'가 더 마음이 편하거든~.
…….
으

그런가…

잘 가~
고마워

아.

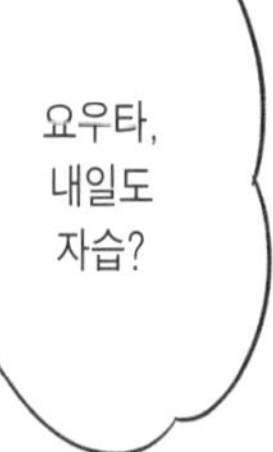
요우타,
내일도
자습?

응~.

그럼
내일 보자!

휘익
웅
웅
웅
웅
>>> CALL
…
여보세요?
…….
미나토,
미안한데
지금
만날 수
있을까…?
웅
웅

하고 싶은
말이 있어….
…….

응.
알았어.

스윽

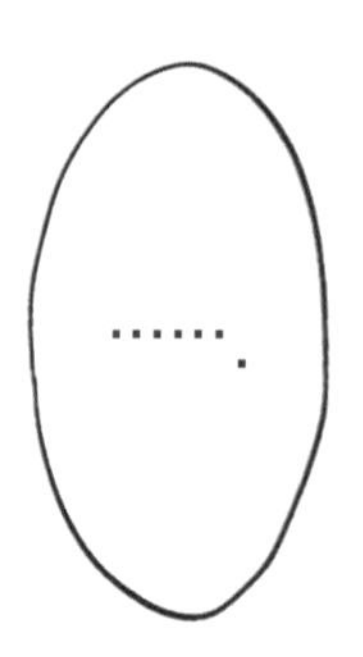
…….

제12화 | 껍데기

…헤어지고
싫어.
힐끔

…….

왜
헤어지고
싶은데?
?

…….

믿음이
안 가.

좋게 말하면
착하다고
할 수도
있겠지만…
난
너랑
있으면
점점 더
불안해져.

…
미나토,
처음부터
한 번도 나를
좋아한 적이
없지?

나한테
감정이
없다는 것쯤은
알아….
…….

내가
너를
섭섭하게
했어?
…….

그렇게
질문으로
받아치지 마.
넌 늘
그래
….

네 마음을
똑바로
얘기해
줘….

미나토
너는…
정말
'네 자신'이
없어.

으아앙!
헤어 졌어어~.
흑 히끅
흐윽
그렇게 울 거면 왜 헤어졌어?
너무 외로워서어.
속상했단 말이야~
'헤어지고 싶다'고 말했는데도 전혀 아무렇지 않은 표정이었어 허어엉~…
훌쩍 훌쩍
처음부터 쭉 나 혼자만 좋아했던 거야~~
우에에엥

다녀왔습니다~.
어? 미나토, 나갔다 왔어?
몰랐어
뭐 급한 일 있어?
이 시간에
응~?

아니.
별일 아니야.

편의점 갔으면 찰떡아이스 사 오지~
칫
다녀오시죠 대학생 누님…
못 말려~

신경 쓰지 마, 아마미야!! 불쌍한 녀석!!
휘우-!!!!

조금은 위로해 줘
친구들아, 나 어제 차였거든?
아니, 벌써 몇 번째야?
이 정도면 웃길 지경이야.
어차피 또 금세 여자 친구 생기겠지만.
젠장

대사랑 표정이 따로 노는데요.
…….

어젯밤에 공부하고 있다가 전화받고 나갔는데
차였어.
대박.

뭐? 아마미야 헤어졌어? 또?
그래!
'또'는 뭐야?
이빠요

왜지?
바짝

나는 맨날 차이기만 하는데~.
도대체~

덥석
윽

어?
저기…?
물끄러미

이 녀석 눈 3초 이상 보지 마!!!
이 녀석 같은 남자한테만큼은 속지 마!
후지타~!!
방심하면 금방 이런 다니까
아, 응…
메두사냐?
후지타
두근두근

드르륵
안녕~.
어라?
꺄아

미나토,
또 뭐
잘못했어?
못살아
안 했어.
왜 매번
단정 짓는 건데

아.

그러고 보니
어제….

와
아하하

우와~ 매점에 일찍 가면 빵 종류가 이것저것 많이 있네.
이건 도시락 먹은 다음 먹고~ 이건 학교 끝나고~
그, 그래라…
수북

…….
있잖아, 요우타.

어제 히카와랑 둘이서 집에 가지 않았어?
그런 사이 아니야-!!!
오해하지 마
앗

아, 봤구나.
담백

?
응?

?
우연히 만나서
같이
간 것뿐인데.
어리둥절…
~….
?

난 또~.
그럴 줄
알았어.
보건실
빙글
하긴
네가….
드르륵

야.

보건 소식
벌컥
흠칫
히카와 잖아?
안녕~.
문을 열면 누군가가 나오는 시스템…?
포옥

아…
하히 .

보건실은 왜? 다쳤어?
아니, 어?
음….
역시 얘는 조금 긴장되네….
생글생글…

빼꼼
쑤욱
어? 무슨 일이야?

아,
요우타.
휴
요우타
흣?

오
코용!
코유용?

어디
아파?
괜찮아
아니,
그냥 히터가
따뜻
하길래….
뭐야
그게~.
하핫
……
오늘
그렇게
춥나?
춥지~
9도야.
여긴
꽤 덥네.
추위
안 타는
구나….
오늘은
콘택트
렌즈?
응,
꼈어.
볼래?
아니.
후훗
내 눈은
한 번도
안 보네~.

찬바람
들어오니까
나가려면
얼른 나가!
휘이

노리코
쌤은
맨날 저래
혼났네

얘,
히카와.
불쑥
아

히카와,
다음 수업
4층이야?
우리도
위층
가는데
응?

아,
아니….
사물함
들렀다
가려고….
1층에

…….
그래.

그럼 이만
총총총
안녕
또 보자~.
흐으응?
생긋

탁
탁
탁
…….
???
'우연히' 만났을 '뿐'…??

제13화 | 녹는 눈

푸하~~
오늘 하루도
완~~전
열심히 했다!!

그런데 아직 모르는 부분이 있어서
얘기하면서 공부하고 싶을 때도 있어….
설명이 필요해…

그럼, 내일 학교 끝나고 우리 반에서 할래?
아는 범위에서 가르쳐 줄게
뭐?!
그래도 돼?

와~! 요우타 선생님 든든합니다~!!
후후
만세!

선생님~!!
'퍽'
소리 났어!!!
아야야
…….

퍼억
에이~ 그 성노는 아
?!
니,

잠깐~ 머리 괜찮아?!
뭐, 걸핏하면 부딪히니까…
흣

시끌 시끌
크하하하
…….
6반….

교실 시끄럽겠네….
으~음

약
걱정 마, 시끄러운 녀석들은 일찍 집에 가니까.

후훗
아~ 하긴 코윰은 그런 분위기 거북하겠다
나는 좋아하지만
…….
생각한 거 들켜서 창피함

안녕~
내일 보자~

…….
한 자리

아니,
괜찮으니
앉거라.
저기
앉으세요…
총총총…

가위
바위…
안 내면
서기~

보…

……
그래?
그럼….
응?
상큼한 얼굴
아니에요,
괜찮아요.
저희는
다음 역에서
내리거든요.

치이~~…
이번 역에서
하차,
환승하시는
손님께서는….

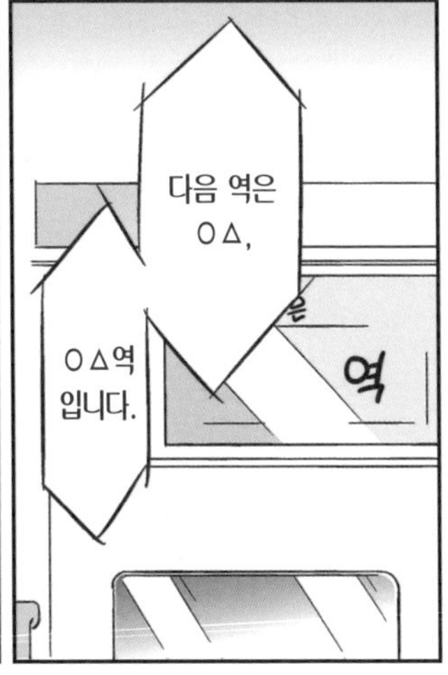
다음 역은
○△,
○△역
입니다.

……….
퍼
어!

또르르르르…
얏
닫힌다 닫힌다
얍.
곧
3번 열차
문이
닫힙니다.
으악~!
빨리
빨리!

탓~~~다
헉억
허억

치익ー
하아
하아
하아

뭐 하러 거짓말을 해….
그냥 양보하면 되지…
하아
하아…
괜히 쑥스럽잖아~!

후…
후후후
…….
훗
아.
이거 봐. 내가 가까이 가니까 창문이 뿌옇게 흐려진다.
스리잇…
푹

후후…
나까지 웃기 잖아….
훗 크크큭…
후후후
히히
흐흐흐
후후후…
히히…

시험 끝나면 다시 알바 잔뜩 할 거라
집에 따로 가야 하지만 ….
코융이 우리 가게에 먹으러 와♡
스마일 서비스 드릴게용
와 본 적 없지?
응?

음… 그 가게는 혼자 가기엔 좀….
BISSAN BURGER
1000엔이 넘는 햄버거는 용기가 필요해…
점장님한테 말하면 깎아 주시니까♪
괜찮아 괜찮아
고등학생 인걸
서민

혼자 오기 어려우면
요우타랑 와.

아. 요우타는 동아리 가나?
…….

철컥

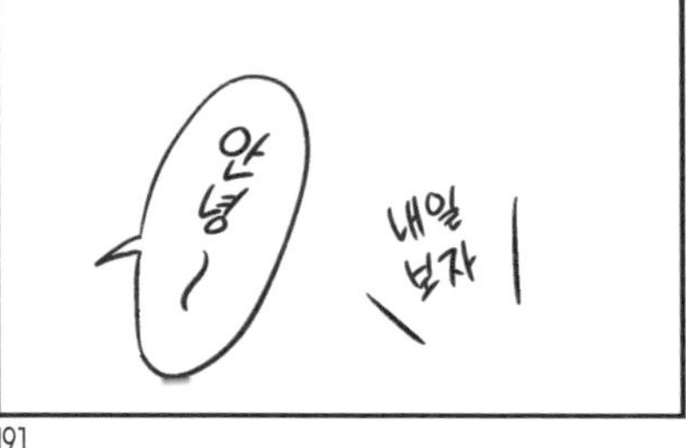
내일 보자
안녕~

♪
타악…

아.

훗

빨래
개자….

!

방금
히죽거리고
있었나…?
혼자서…

얼굴….

…….

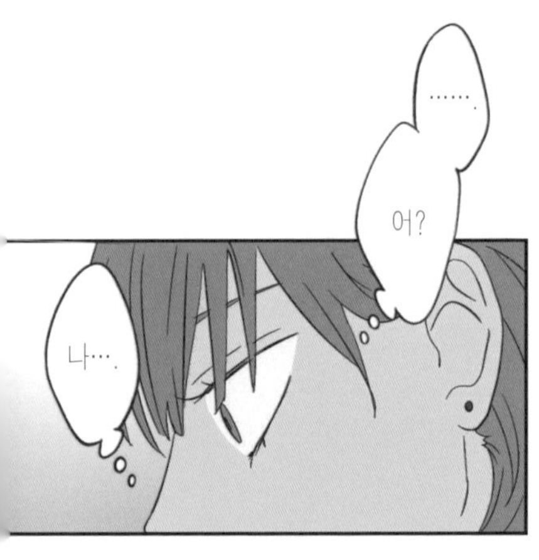

즐거웠던
여운.

내일을
기대하게
만드는

붕
떠 있는
감각.